我下了个金鸡蛋

据［法］克利斯提昂·约里波瓦同名绘本动画片改编

郑迪蔚 / 编译

二十一世纪出版社集团
21st Century Publishing Group

下蛋，下蛋，总是下蛋！
生活中肯定有比下蛋更好玩的事情！
我把坏蛋田鼠给耍了……

温暖的鸡舍里静悄悄的，现在是下蛋时间。

卡梅拉回想起自己第一次下蛋的情景，不禁莞尔

一笑："我还真是胆大呢……"

"啊!"

她低下头一看,被自己下的蛋惊呆了。

金光闪闪的鸡蛋照亮了她的窝。

5

一颗金鸡蛋！卡梅拉从没见过如此漂亮的鸡蛋。

"快来看呀！卡梅拉下了个金鸡蛋！"小凯丽恰巧路过，兴奋地招呼大家。

"哇！太不可思议了！卡梅拉，你是怎么做到的？"

"卡梅拉，你真棒！"

"我们将有一个金色的弟弟，卡门！"

"天哪！"皮迪克激动地拿起鸡蛋端详，"我从来没见过金鸡蛋！实在……我老婆，实在太优秀了！"

"哦，我亲爱的卡梅拉。我太爱你了，你总能给我惊喜。"

"哦，皮迪克。"

"爸爸妈妈好恩爱啊！"
卡门和卡梅利多心想。

他们却不知道金鸡蛋会招来麻烦……

"哼！有什么好大惊小怪的，只不过恰巧碰上了而已！我们走。"

"她们怎么了？"卡梅拉
不解地问皮迪克。

"别理她们。"

小胖墩和大嗓门也过来看热闹，他们爬进窝里要摸金鸡蛋。

"喂！把你们的脏爪子拿开！"卡门大喊道。

"卡门，你让我摸一下，就一下，好吗？"

"我们保证绝不会把它打烂的……"

"打烂！看我不把你们的屁股打烂！"皮迪克气哼哼地跑过来，"甭打歪主意，离远点！如果你们俩敢碰我的鸡蛋，哼！我保证让你们的鸡冠着火！各自回窝去！"

鸡舍里终于又安静了，卡梅拉一家欢喜地看着金鸡蛋，期待小宝宝的诞生

"你是怎么做到的，妈妈？"

"我就坐在窝里，然后……噗！"

"瞧把皮迪克紧张的，还不许我儿子碰！"

"哼！看他老婆能孵出什么！"

嫉妒的情绪很快在鸡
舍里蔓延。

"她下个金鸡蛋,
做给谁看呀!"

"当然是想看我
们的笑话!"

贝里奥无意间听到这些话,不禁有些担忧。

"我还是很好奇,妈妈,你有没有遇到过什么奇
怪的事?"

"没有,我的感觉完全和平常一样。"卡梅拉还
沉浸在幸福中。

"出去玩吧!你妈妈需要休息。"皮迪克催促道。

"这也没什么好吃惊的，她不一直就想当鸡舍里的皇后吗？瞧她就快横着走了！"

"但问题是，她怎么会下一个金的……"

贝里奥躲在草垛后面暗暗吃惊："天哪，她们怎么对卡梅拉有那么多不满？平时都看不出来呢。"

"那还用说，当然是施了魔法才下的金鸡蛋！"

"是啊！卡梅拉没准就是个巫师……"

小凯丽闷闷不乐地跑回窝里拿东西。

"见鬼啦，我的宝贝石头哪儿去了？"

"小凯丽？你需要我帮忙吗？"卡梅拉好心地问。

可小凯丽头也不回地走了。

哼！

"大家都不理我，也不和我说话，全都是因为这个金鸡蛋！"卡梅拉难过地想。

贝里奥对两个好朋友诉说了白天听到的话。

"看在我这身羊毛的分上，你们告诉我，卡梅拉真的是巫师吗？"

"你昏头了，贝里奥？"卡梅利多气愤地回答。

"可是，大家都这么说……"
贝里奥委屈地低下头。

"别担心，妈妈，我们爱你……"卡门安慰道，"还有爸爸也爱你！我对天发誓，一定会找出你下金鸡蛋的原因！"

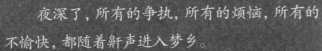

夜深了，所有的争执，所有的烦恼，所有的
不愉快，都随着鼾声进入梦乡。

"我未出世的宝宝，你让我担心
死了，所有的人都在怀疑我，我还是
带你离开这里吧，找个安全的地方
把你孵出来。"

卡梅拉抱着金鸡蛋走过卡门和卡梅利多的隔间，轻声叮嘱："妈妈不在的日子，要好好照顾自己。"

她蹑手蹑脚地走下楼梯，生怕惊动了大家。

"咦，什么东西从我身边闪过？"胖墩妈迷迷糊糊睁开眼睛。

"这不是卡梅拉吗？她要去哪儿？"

卡梅拉走出大门前，再次留恋地望了一眼鸡舍，她真舍不得离开爱她的家人。

"好了，小宝贝，现在我们两个要独立生活一段时间了。"

月光把卡梅拉手中的金鸡蛋映衬得格外明亮，而她还不知道危险就在黑暗中……

"哈哈，夜宵来啦！"

"蠢货！是发财的机会来了！"普老大纠正克拉拉。

"哇！金子！"克拉拉直勾勾地盯着卡梅拉手中的金鸡蛋。

"托你的福，卡梅拉，有了金鸡蛋我们就发大财啦！"

"你们……你们不许动我的宝宝！"

"卡梅拉！卡梅拉！你在哪儿？"

皮迪克的呼喊声把大家都吵醒了。

"活见鬼，你们没看见你妈妈吗？我哪儿都找了，都没有！她就像从空气中消失了一样！卡梅拉！"

"卡梅拉？我看到她昨晚溜出去了……"

"有好戏瞧了！我们不需要来个巫师帮着下鸡蛋！"

母鸡们的对话让皮迪克心痛不已，他不停地自责：

"都怪我，都怪我没照顾好你……卡梅拉……"

"妈妈独自出去一定是因为那个金鸡蛋。"卡门猜测。

"但她也不能丢下我们不管呀！"

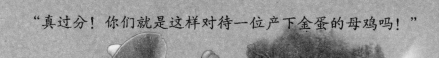

"真过分！你们就是这样对待一位产下金蛋的母鸡吗！"

"我命令你再多下几个金鸡蛋！"

"遵命，母鸡大人！"

"你本事够大的，卡梅拉！"

"要让我下金鸡蛋，就得好好伺候！否则，什么也得不到！"

"我怎么有种不好的预感……"

"卡梅拉，我亲爱的，你到底去哪儿了？丢下我一个在家里……呜呜呜……"

"爸爸那么难过，我们必须马上找到妈妈！但她去哪个方向了呢？"

"我觉得是……"贝里奥猜测，"往河边走了？"

河边？

"糟糕！没准妈妈会遇到坏蛋田鼠！"

"愿圣洁的羽毛保佑！没时间耽误了，快走，卡梅利多，我们去找妈妈。"

此时，卡梅拉正舒服地躺在混合了 18 种花卉和香料的干草窝里。

"我感觉脚有点胀……"

"马上为您捏脚。"细尾巴乖乖地捧起脚揉起来，"克拉拉你揉另一只。"

克拉拉一边揉一边幻想："只要我有了钱，我就……买个超大的烧烤架和所有厨房用具，什么厨师帽、围裙、各种叉子，还有一口大锅！"

啪阿！

"我快受够了！看在能发大财的分上，我忍！我忍！"

"如果是我，我就开家养鸡场，都养母鸡，想吃就吃，不幻想那些没用的。"田鼠细尾巴也有自己的发财梦。

"这不是我想吃的奶酪烤青虫，你们的烹饪技术太原始了，就拿这个应付我。"

"都几个小时了，给她梳妆打扮，买昂贵的丝带，准备丰盛的大餐，把她伺候得像个皇后！我怎么感觉她是在要我们呢！"普老大终于忍不住爆发了。

26

"如果你想让我继续下蛋，就得像伺候皇后一样伺候我。况且我也没撒谎呀，我确实下了一个金鸡蛋，要让我再下一个，哼，就得哄着我！"

　　"气死我了！"

"这帮坏蛋都在听卡梅拉的指挥？"贝里奥简直不敢相信自己的眼睛，"难道她真的会法术？"

噫！

"早就瞄见你们来了！"普老大正有气没地方撒，"送上门的下午点心，羊肉串和烤鸡腿，到底先吃哪个呢？"

"糟糕！我们暴露了！"
"我不要变成羊肉串！"

"听好！普老大，你大错特错了，因为我也能下金鸡蛋！"卡门镇定地走出灌木丛教训他。

"你也会下蛋？"普老大疑惑地看着卡门。

"那当然！下出来的鸡蛋，也完美得……就像这个！"

卡门指了指地上的金鸡蛋，"将会成为你们无穷的财富！"

卡梅拉正琢磨着找机会逃跑，突然，惊喜地看到孩子们出现在眼前："卡门？你怎么来了？"

"放心吧，妈妈！我也会下金鸡蛋哦。"卡门指了指卡梅利多和贝里奥，"他们是伺候我的助手！"

"卡门将会马上生下一座金山！24K足金品质！"

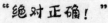

"绝对正确！"

突然，地上的金鸡蛋裂开了……

啪！一个小黄鸡露出脑袋……

"糟糕！妹妹提前出生了！"

"不是妹妹，是弟弟！"

"啊！金鸡蛋碎了……" 克拉拉遗憾地看着地上的蛋壳。

"我的农场梦也碎了！" 细尾巴也傻了眼。

"我们的小弟弟好可爱哦，卡梅利多。"

"他叫什么？"贝里奥问。

"我们绊住了，头儿！"

35

"眼看到嘴的肥鸡,愣是让她跑了!耻辱啊!我普老大居然上了卡梅拉的当,好吃好喝伺候着,换来只白眼狼!"

"头儿,结果还不算太糟。至少我们还能捡到金鸡蛋壳。"

"妈妈，你头上不戴蝴蝶结更漂亮了呢！"

"我可不喜欢我的新造型，还有那几位笨手笨脚的造型师！"

救命！

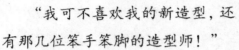

"贝里奥，慢点，田鼠们没追上来！"

"不要！我不要被做成羊肉串！"

鸡舍里又恢复了往日的祥和。

　　公鸡爷爷一边打拳一边念叨："金子啊，你是多么神奇。你可以使老的变成少的，丑的变成美的，黑的变成白的，错的变成对的……"

但是小凯丽还是很不开心，她在屋里
爬上爬下，四处寻找……

"我的宝贝石头到底哪去了？"

"快过来！"卡梅拉招呼小凯丽，"这是你的吗？"

"哇！总算找到了！"小凯丽抱着石头使劲亲，"我的宝贝金石头……"

"谢谢，卡梅拉。我又可以扔着它玩了。"

"我明白了！妈妈肯定是因为吃了你玩石头时洒下的碎片，所以才下了金鸡蛋！"

"啊！原来如此！"
小凯丽恍然大悟。

"我倒想知道，我是吃了什么，能生出你这么聪明的孩子来。"

41

"我明白了，下什么蛋，取决于你吃的是什么食物。"

母鸡们兴奋地将各种鸡蛋拿出来展示。

42

"小胖墩，快看！你要有个绿色的弟弟了！"

"哦不！我不要！"

"妈妈咪呀，这里到处是艺术家！"皮迪克感叹道，"不管怎么说，亲爱的，最重要的是你能安全地回来！"

毛毛虫！

西红柿！

瓢虫！

黑麦！

"你在放屁吗，尼克？"

"我在试着下一个刺猬金蛋……"

幸好卡梅拉机智地保护了自己免遭田鼠的毒手！现在，让我们一起来探寻伊索寓言《金鸡蛋》的故事吧！

　　从前，在一座村庄里住着一对夫妇。他们意外地得到一只小母鸡。慢慢地，母鸡长大了。一天，他们惊奇地发现鸡窝里有一个金灿灿的鸡蛋。从此，母鸡每天都下一个金蛋，夫妇俩成了富翁，买了许多土地和房屋，还雇了许多仆人。他们日子越过越好，但夫妇俩却越来越贪心。他们想，既然母鸡每天能下一个金蛋，那么，它的肚子里一定装满了金子。

　　于是，这对贪心的夫妇立即动手把鸡杀了。丈夫剖开鸡肚，想从里面找金子，没想到连一个金蛋的影子都没见到。夫妇俩后悔不迭，互相埋怨。就这样，鸡没了，每天能得到的金蛋也失去了。

　　这可不是卡梅拉愿意看到的结局。

伊索（Aesop，公元前 620 年—公元前 560 年）

不一样的卡梅拉

D'après la collection de livres de Ch. Heinrich et Ch. Jolibois © Pocket Jeunesse. D'après la série animée réalisée par JL François – bible littéraire M. Locatelli & P. Regnard © Blue Spirit Animation / Be Films Titre de l'épisode « Carméla vingt quatre carats » écrit par F. Martin
Les P'tites Poules © Blue Spirit Animation

Chinese simplified translation rights arranged with Chengdu ZhongRen Culture Communication Co.,Ltd,
本书中文版权通过成都中仁天地文化传播有限公司帮助获得

据 [法] 克利斯提昂·约里波瓦同名绘本动画片改编

图书在版编目（CIP）数据

我下了个金鸡蛋 / (法) 约里波瓦文；
(法) 艾利施图；郑迪蔚编译.
-- 南昌：二十一世纪出版社集团,2015.12
（不一样的卡梅拉动漫绘本；32）
ISBN 978-7-5568-1506-7

Ⅰ.①我… Ⅱ.①约… ②艾… ③郑…
Ⅲ.①动画—连环画—法国—现代
Ⅳ.①J238.7

中国版本图书馆CIP数据核字(2015)第296673号

版权合同登记号 14-2012-443
赣版权登字—04—2015—943

我下了个金鸡蛋　　郑迪蔚 / 编译

总 策 划	张秋林
策　　划	奥苗文化　郑迪蔚
责任编辑	黄 震　　陈静瑶
制　　作	敖 翔
出版发行	二十一世纪出版社集团 南极熊
	www.21cccc.com　cc21@163.net
出 版 人	张秋林
印　　刷	江西华奥印务有限责任公司
版　　次	2016年1月第1版　2016年1月第1次印刷
开　　本	800mm×1250mm 1/32　印 张 1.5
书　　号	ISBN 978-7-5568-1506-7
定　　价	10.00元

本社地址：江西省南昌市子安路75号　330009（如发现印装质量问题，请寄本社图书发行公司调换 0791-86512056）